1551820090

U0338083

中华人民共和国国家标准

城市轨道交通无线局域网宽带
工程技术规范

Technical code for wireless local area network broadband
engineering of urban rail transit

GB/T 51211 - 2016

主编部门：中华人民共和国住房和城乡建设部
批准部门：中华人民共和国住房和城乡建设部
施行日期：2 0 1 7 年 7 月 1 日

中国计划出版社

2016 北 京

中华人民共和国国家标准
城市轨道交通无线局域网宽带
工程技术规范
GB/T 51211-2016

☆

中国计划出版社出版发行

网址：www.jhpress.com

地址：北京市西城区木樨地北里甲 11 号国宏大厦 C 座 3 层

邮政编码：100038　电话：(010) 63906433（发行部）

北京市科星印刷有限责任公司印刷

850mm×1168mm　1/32　1.5 印张　34 千字

2017 年 5 月第 1 版　2017 年 5 月第 1 次印刷

☆

统一书号：155182 · 0090

定价：12.00 元

版权所有　侵权必究

侵权举报电话：(010) 63906404

如有印装质量问题，请寄本社出版部调换

中华人民共和国住房和城乡建设部公告

第 1381 号

住房城乡建设部关于发布国家标准《城市轨道交通无线局域网宽带工程技术规范》的公告

现批准《城市轨道交通无线局域网宽带工程技术规范》为国家标准,编号为 GB/T 51211—2016,自 2017 年 7 月 1 日起实施。

本规范由我部标准定额研究所组织中国计划出版社出版发行。

中华人民共和国住房和城乡建设部

2016 年 12 月 2 日

前　　言

　　根据住房城乡建设部《关于印发〈2015年工程建设标准规范制订、修订计划〉的通知》（建标〔2014〕189号）的要求，规范编制组经广泛调查研究，认真总结实践经验，参考有关国际标准和国外先进标准，并在广泛征求意见的基础上，编制了本规范。

　　本规范共分7章，主要内容包括：总则、术语和缩略语、基本规定、工程设计、工程施工、工程测试与验收、运行维护。

　　本规范由住房城乡建设部负责管理，由上海申通轨道交通研究咨询有限公司负责具体技术内容的解释。执行过程中如有意见或建议，请寄送上海申通轨道交通研究咨询有限公司（地址：上海市桂林路909号一号楼，邮政编码：201103）。

　　本规范主编单位、参编单位、主要起草人和主要审查人：

主 编 单 位：上海申通轨道交通研究咨询有限公司

参 编 单 位：中铁上海设计院集团有限公司

　　　　　　　　上海中铁通信信号测试有限公司

　　　　　　　　深圳地铁集团有限公司

　　　　　　　　广州市地下铁道总公司

　　　　　　　　广州地铁设计研究院有限公司

　　　　　　　　上海东方银谷科技有限公司

主要起草人：洪　翔　纪文莉　柏　锋　赵晓蓉　钟正迪

　　　　　　　　王　森　宋　键　毕湘利　周　杭　龚小聪

　　　　　　　　张　瑾　徐　嘉　张双健　朱云冲　鲍淑红

　　　　　　　　李士寒　王　海　张立东　孙　煜　周　晨

　　　　　　　　卢　滢　钱伟勇

・ 1 ・

主要审查人：申大川　马向辰　张国芳　侯久望　仲建华
　　　　　　邹劲柏　胡　泓　叶益民　谢锡荣　孙林祥
　　　　　　刘利平

目　次

1　总　则 ……………………………………………………（ 1 ）

2　术语和缩略语 ……………………………………………（ 2 ）

2.1　术语 ……………………………………………………（ 2 ）

2.2　缩略语 …………………………………………………（ 2 ）

3　基本规定 …………………………………………………（ 3 ）

4　工程设计 …………………………………………………（ 4 ）

4.1　一般规定 ………………………………………………（ 4 ）

4.2　车站系统 ………………………………………………（ 5 ）

4.3　轨旁系统 ………………………………………………（ 6 ）

4.4　列车系统 ………………………………………………（ 6 ）

4.5　数据汇聚系统 …………………………………………（ 7 ）

4.6　核心系统 ………………………………………………（ 7 ）

4.7　机房及电源、接地要求 ………………………………（ 8 ）

4.8　系统接口 ………………………………………………（ 9 ）

5　工程施工 …………………………………………………（10）

5.1　一般规定 ………………………………………………（10）

5.2　设备安装 ………………………………………………（10）

5.3　线缆布设 ………………………………………………（11）

6　工程测试与验收 …………………………………………（13）

6.1　一般规定 ………………………………………………（13）

6.2　测试验收 ………………………………………………（14）

7　运行维护 …………………………………………………（17）

本规范用词说明 ……………………………………………（18）

引用标准名录 ………………………………………………（19）

附:条文说明 …………………………………………………（21）

· 1 ·

Contents

1　General provisions ·· (1)

2　Terms and abbreviations ·· (2)

  2.1　Terms ··· (2)

  2.2　Abbreviations ·· (2)

3　Basic requirements ··· (3)

4　Project design ··· (4)

  4.1　General requirements ·· (4)

  4.2　Station system ·· (5)

  4.3　Trackside system ··· (6)

  4.4　Train system ··· (6)

  4.5　Data convergence system ···································· (7)

  4.6　Core network system ··· (7)

  4.7　Requirement of equipment room,power supply and
      grounding ·· (8)

  4.8　System interface ··· (9)

5　Project construction ··· (10)

  5.1　General requirements ·· (10)

  5.2　Equipment installation ······································ (10)

  5.3　Cable distribution ··· (11)

6　Project test and acceptance ···································· (13)

  6.1　General requirements ·· (13)

  6.2　Test and acceptance ··· (14)

7　Operation and maintenance ···································· (17)

Explanation of wording in this code ························· (18)

List of quoted standards ································· (19)

Addition: Explanation of provisions ····················· (21)

· 3 ·

1 总 则

1.0.1 为规范城市轨道交通无线局域网的工程建设与运行维护，做到安全适用、技术先进、经济合理，便于施工和维护，制定本规范。

1.0.2 本规范适用于新建、扩建和改建的城市轨道交通服务公众的无线局域网的设计、施工、验收和运行维护。

1.0.3 城市轨道交通无线局域网的建设与运行维护除应符合本规范外，尚应符合国家现行有关标准的规定。

2 术语和缩略语

2.1 术　语

2.1.1 无线局域网　wireless local area network（WLAN）

通过无线电波进行数据传送的局域网。

2.1.2 虚拟局域网　virtual local area network（VLAN）

一组逻辑上的设备和用户，不受物理位置的限制，可根据功能、业务和应用组织起来，相互之间的通信如同在同一网段的局域网。

2.1.3 接入点　access point（AP）

任何一个具备站点功能，通过无线媒体为关联的站点提供访问分布式服务的实体。

2.1.4 接入控制器　access controller（AC）

对接入点进行集中配置、管理和控制的网络设备。

2.2 缩　略　语

CBTC(Communication Based Train Control)　基于通信的列车控制

DHCP(Dynamic Host Configuration Protocol)　动态主机配置协议

IP(Internet Protocol)　互联网协议

MIMO(Multi Input Multi Output)　多入多出

PIS(Passenger Information System)　乘客信息系统

QoS(Quality of Service)　服务质量

SSID(Service Set Identifier)　服务集标志

3 基 本 规 定

3.0.1 城市轨道交通无线局域网的信号应覆盖站厅、站台候车区和列车,宜覆盖行车区间和设备管理区。

3.0.2 城市轨道交通无线局域网的功能应符合下列规定:

    1 应为公众终端提供无线局域网接入互联网服务;

    2 可为开展运营管理、维护保障工作的移动终端提供无线局域网接入服务。

3.0.3 城市轨道交通无线局域网的频点和信号覆盖不得影响基于通信的列车控制(CBTC)系统和乘客信息系统(PIS)等的正常运行。

3.0.4 城市轨道交通无线局域网宜采用的工作频段为 2.4GHz和 5GHz 频段,应根据目标覆盖区域内工作频段使用情况的测试结果,选择无干扰或干扰最小的信道。

3.0.5 城市轨道交通无线局域网的建设宜与城市信息化规划、城市通信基础设施规划协调,应统筹接口、通信管网安装空间和条件。

3.0.6 城市轨道交通无线局域网安全等级的确定应符合现行国家标准《信息安全技术 信息系统安全等级保护定级指南》GB/T 22240 的规定,安全等级保护内容应符合现行国家标准《信息安全技术 信息系统安全等级保护基本要求》GB/T 22239 的规定。

3.0.7 城市轨道交通无线局域网的密码使用和管理应符合国家密码管理规定。

4 工 程 设 计

4.1 一 般 规 定

4.1.1 城市轨道交通无线局域网宜采用集中式组网。

4.1.2 城市轨道交通无线局域网应包括车站系统、轨旁系统、列车系统、数据汇聚系统和核心系统。

4.1.3 城市轨道交通无线局域网工程设计应根据城市轨道交通线网现有客流量、客流增长规律及新线开通规划,估算最大并发用户数。

4.1.4 城市轨道交通无线局域网的信道和信号覆盖应符合下列规定:

    1 车地通信宜与基于通信的列车控制系统和乘客信息系统等采用不同的信道,宜采用 5150MHz～5350MHz 频段的信道;

    2 车站、列车内宜采用 2.4GHz 和 5GHz 双频覆盖,在列车司机室门侧、站台安全门侧、站台边缘屏蔽门侧应控制信号到达基于通信的列车控制和乘客信息等系统无线接收设备的强度,不应影响其正常工作。

4.1.5 城市轨道交通无线局域网服务质量指标应符合下列规定:

    1 在目标覆盖区域内 90% 以上的位置,无线信号接收电平不应小于 −75dBm,单用户的平均传输速率不宜小于 0.5Mbps;

    2 当目标覆盖区域内以 64Byte 数据包对出口路由器进行 ping 命令测试时,平均时延不应大于 100ms,丢包率不应大于 3%。

4.1.6 当列车运行速度在 120km/h 以下时,城市轨道交通无线局域网车地通信指标应符合下列规定:

    1 每列车传输带宽不宜小于 200Mbps;

· 4 ·

2 在不同轨旁接入点（AP）间的切换时延应小于50ms；

3 切换成功率不宜小于98%；

4 丢包率不宜大于2%。

4.1.7 城市轨道交通无线局域网应具有对用户、业务、应用进行分类、标注和优先级设置的服务质量（QoS）控制功能。

4.1.8 城市轨道交通无线局域网安全设计应符合下列规定：

1 应防止非法用户侵入；

2 应对用户认证信息数据和重要的业务数据进行加密；

3 宜对接入点覆盖下的用户进行逻辑隔离；

4 与互联网接口之间应设置安全防护设备；

5 应对公众服务和运营管理服务进行隔离；

6 应实现入侵检测、防病毒、可控组播、访问控制列表、虚拟局域网（VLAN）隔离功能。

4.1.9 城市轨道交通无线局域网识别方式应符合下列规定：

1 接入点应向外广播其服务公众的服务集标志（SSID），服务公众的服务集标志应全网保持一致；

2 网络设计应规划和分配用户终端及接入点的IP地址，应根据网络规模、建设规划和承载的业务进行地址分配，宜保证网络内部IP地址分配连续，宜按轨道交通线路分配连续的IP地址块。

4.1.10 城市轨道交通无线局域网室内设备的防护等级不应小于IP20，行车区间设备不应小于IP65，车载设备不应小于IP42。

4.1.11 城市轨道交通无线局域网应根据应急状态下快捷断网的要求，制订网络应急处置方案。

4.2 车 站 系 统

4.2.1 车站系统应由车站接入点和通信链路组成，可设置接入交换机，应实现车站内的无线接入。

4.2.2 地下车站宜采用室内放装型接入点设备，地上车站宜采用室外放装型接入点设备。

4.2.3 车站接入点数量和输出功率应根据本规范第4.1.5条的规定以及估算的并发用户数确定。

4.2.4 接入点和天线的安装位置应避开梁、通风管道、消防管道、建筑支柱,天线不应受阻挡。

4.2.5 接入交换机和车站接入点宜支持以太网供电功能。

4.3 轨 旁 系 统

4.3.1 轨旁系统应由轨旁接入点和通信链路组成。轨旁接入点可双模式工作,应与车地通信接入点无线桥接通信,并可实现轨旁区域的无线接入。

4.3.2 轨旁接入点宜采用多入多出(MIMO)技术。

4.3.3 轨旁接入点设置间隔距离应根据无线信号的链路预算和线路坡度、曲率确定,相邻轨旁接入点应设置信号重叠覆盖区域。

4.3.4 应根据线路列车最大运行速度设计轨旁接入点之间的切换方式,切换性能应符合本规范第4.1.6条的规定。

4.3.5 轨旁接入点天线应与其他系统设备错位安装,天线主瓣方向应正对目标覆盖区域。

4.3.6 轨旁系统设备的电磁兼容性应符合现行国家标准《轨道交通 电磁兼容 第4部分:信号和通信设备的发射与抗扰度》GB/T 24338.5的规定。

4.4 列 车 系 统

4.4.1 列车系统应由车厢覆盖接入点、车地通信接入点、车载交换机以及通信链路组成,车厢覆盖接入点应实现列车车厢内的无线接入,车地通信接入点应与轨旁接入点实现无线桥接通信。

4.4.2 列车系统设备的防火性能应符合现行行业标准《城市轨道交通车辆防火要求》CJ/T 416的规定,抗冲击和抗振性能应符合现行国家标准《铁路应用 机车车辆电气设备 第1部分:一般使用条件和通用规则》GB/T 21413.1和《轨道交通 机车车辆设

备 冲击和振动试验》GB/T 21563 的规定,电磁兼容应符合现行国家标准《轨道交通 电磁兼容 第 3-2 部分:机车车辆 设备》GB/T 24338.4 的规定。

4.4.3 车载交换机应采用工业交换机,应连接车厢覆盖接入点和车地通信接入点。

4.4.4 车载交换机应采用环形网络连接,应具有千兆及以上的数据处理能力。跨车厢网络连接方式宜结合车辆统一设计。

4.4.5 车厢覆盖接入点和车地通信接入点的天线选型应与车厢整体外观协调,视觉效果上应与车厢内饰一致。天线安装位置应避免被车厢盖板、天花板阻挡。

4.5 数据汇聚系统

4.5.1 数据汇聚系统应实现车站到核心系统的数据通信,宜由线路汇聚节点、车站汇聚节点及通信链路组成。

4.5.2 数据汇聚系统的容量应根据估算的最大并发用户数确定,并应预留 30% 的余量。

4.5.3 线路汇聚节点和车站汇聚节点之间的网络拓扑应根据车站数量设计确定,可采用星形或环形结构。

4.5.4 线路汇聚节点设备应 1+1 设置,并应同时连接至核心交换机。

4.6 核 心 系 统

4.6.1 核心系统应实现城市轨道交通无线局域网的认证、审计、数据交换、网管、出口管理功能,其设备宜包括核心交换机、接入控制器、出口路由器以及实现认证、审计、网管功能的服务器。

4.6.2 核心系统宜由多条城市轨道交通线路共享。

4.6.3 城市轨道交通无线局域网认证应符合下列规定:

1 用户全网漫游应避免重复认证,宜建设线网共享的集中认证平台;

2 宜采用动态主机配置协议加浏览器页面(DHCP＋Web)认证方式或无感知认证方式；

3 认证时延应小于1s,认证成功率应大于95％。

4.6.4 核心系统应具备互联网审计功能,应记录网络内流经监听出口的访问互联网行为,记录保存时间不应小于60d。

4.6.5 核心交换机应采用1+1或$N+1$热备份,主备切换时间应小于1s。

4.6.6 接入控制器设计应符合下列规定：

1 接入控制器容量应满足接入点数量、并发用户数和总吞吐量的要求；

2 宜多线共用1个接入控制器；

3 接入控制器应采用1+1或$N+1$热备份。

4.6.7 网管设计应符合下列规定：

1 宜集中建设网管系统；

2 应具备网络故障管理、性能管理、资源管理、拓扑管理、安全管理和配置管理功能；

3 应采用支持简单网络管理协议的标准网络管理接口；

4 信息记录、储存和统计报告应实时、准确；

5 管理平台界面应方便操作。

4.6.8 核心系统应根据全网并发用户数和用户平均传输速率估算无线局域网至互联网的出口带宽。

4.7 机房及电源、接地要求

4.7.1 机房环境、空调、消防、供电、接地和电磁环境条件应符合现行国家标准《电子信息系统机房设计规范》GB 50174 的规定。

4.7.2 城市轨道交通无线局域网列车系统的设备宜利用列车提供的直流110V供电,车站系统、轨旁系统、数据汇聚系统和核心系统的设备宜按二级负荷供电。

4.7.3 车站和核心系统设备应采用综合接地方式,车载设备应接

· 8 ·

地至车辆接地端子,轨旁系统设备应在行车区间综合接地。

4.7.4 防雷接地应符合现行国家标准《通信局(站)防雷与接地工程设计规范》GB 50689 和《建筑物电子信息系统防雷技术规范》GB 50343 的规定。

4.8 系 统 接 口

4.8.1 城市轨道交通无线局域网应通过接口与公共电信网连接,接口宜采用以太网协议。

4.8.2 城市轨道交通无线局域网宜实现时间同步功能,宜采用网络时间协议与通信时钟系统连接。

4.8.3 城市轨道交通无线局域网应通过空中接口与终端连接,接口宜符合无线局域网媒体访问控制和物理层的国家现行标准的有关规定。

5 工 程 施 工

5.1 一 般 规 定

5.1.1 施工前应检查安装环境。安装场所应满足设计和设备安装手册的要求。

5.1.2 施工前应检查无线局域网设备材料。设备材料规格、型号、数量和质量应符合设计要求。

5.1.3 设备和线缆应有明确标识。标识应正确、清晰、齐全。

5.1.4 设备和线缆周围不应有强电、强磁干扰。

5.1.5 施工过程中应进行施工现场质量检查和安装工艺检查。

5.2 设 备 安 装

5.2.1 设备安装应符合限界要求。

5.2.2 车站接入点安装应符合下列规定：

　　1 接入点不宜安装在吊顶内,接入点天线安装应避开金属遮挡物;

　　2 接入点安装应牢固、可靠,并应防尘、防水、防震和防盗。

5.2.3 车站内的交换机宜安装在车站机房或防护箱内。

5.2.4 列车系统设备安装应符合下列规定：

　　1 车厢覆盖接入点天线应安装在车厢吊顶下无金属遮挡处,并应符合车辆设计要求;

　　2 车载交换机宜安装在车辆弱电设备柜;

　　3 车地通信接入点宜安装在司机室电气柜内,车地通信接入点天线可在车顶上外露安装或安装在司机室顶板内,天线方向应保证接收的轨旁接入点天线主波瓣信号最佳。

5.2.5 轨旁设备安装应符合下列规定：

・ 10 ・

1 轨旁接入点和对应的光电交接箱的安装位置应符合设备限界要求,应安装在行车区间弱电侧;

2 轨旁接入点天线的安装高度宜与车地通信接入点天线一致,并不得在接触网上方穿越;

3 地下区间轨旁接入点应壁挂安装在隧道壁上,高架和地面区间轨旁接入点宜抱箍安装在立杆上。

5.3 线 缆 布 设

5.3.1 地下线路和地上车站内的线缆应采用无卤、低烟的阻燃材料,并应具有抗电气化干扰的防护层,地上区间使用的线缆还应具有防雨淋和抗阳光辐射能力。

5.3.2 线缆敷设和管线安装应符合现行国家标准《城市轨道交通通信工程质量验收规范》GB 50382 的规定。

5.3.3 室外布设的线缆在引入机房时应接地,连接头应进行防水密封处理。

5.3.4 数据线缆布设应符合下列规定:

1 线缆宜在管道或线槽中布设,布设时应使用绑扎带固定;

2 不应与电力电缆、强电高压管道和消防管道一起布设;

3 在管道或线槽外布设的线缆应采用金属管防护。

5.3.5 馈线电缆布设应符合下列规定:

1 7/8″及以上馈线的弯曲半径不应小于 20 倍馈线外径,1/2″馈线的弯曲半径不应小于 10 倍馈线外径;

2 宜在线槽或金属管中布设,不应与电力电缆、强电高压管道和消防管道一起布设;

3 与设备相连的跳线或馈线应采用馈线夹进行固定。

5.3.6 光缆弯曲布设时的弯曲半径不应小于光缆外径的 15 倍。

5.3.7 电源线缆布设应符合下列规定:

1 应采用整条电缆线料;

2 铠装电缆的弯曲半径不应小于其外径的 12 倍,塑包电缆

的弯曲半径不应小于其外径的 6 倍;

　　3　设备电源引入线宜使用自带的电源线。

5.3.8　列车系统线缆布设应符合下列规定:

　　1　应布设在客室侧顶板线槽内,每隔 0.3m 应使用扎带绑扎;

　　2　列车上应采用低烟、无卤、阻燃的线缆,数据线宜采用六类屏蔽网线;

　　3　所有接头应采用航空插头。

6 工程测试与验收

6.1 一般规定

6.1.1 工程施工质量控制、质量验收、验收程序与组织、分部分项和检验批的划分应符合现行国家标准《城市轨道交通通信工程质量验收规范》GB 50382 的规定。

6.1.2 工程验收应包含初验和终验两个阶段。

6.1.3 初验应在设备安装调试结束和软件版本检查合格后进行。

6.1.4 初验应包括下列项目：

    1 设备安装检查；

    2 线缆布设检查及光电缆线路特性测试；

    3 接入点单机测试；

    4 车站系统测试；

    5 轨旁和列车系统测试；

    6 数据汇聚系统测试；

    7 系统整体功能、性能测试；

    8 系统干扰测试及评估。

6.1.5 初验通过后，应进行试运行，试运行时间宜大于三个月。

6.1.6 试运行结束和工程终验前，施工单位应提交完整的竣工技术文件。

6.1.7 竣工技术文件应包括下列内容：

    1 工程说明；

    2 安装工程量总表；

    3 验收测试报告；

    4 竣工图纸；

    5 隐蔽工程随工验收签证和阶段验收报告；

6 工程变更单及洽商记录；

7 重大工程质量事故报告表；

8 已安装设备明细表；

9 开工报告；

10 停（复）工报告；

11 验收证书；

12 交接书；

13 试运行及其他记录。

6.1.8 竣工技术文件应符合下列规定：

1 内容应齐全；

2 图纸、测试记录、随工质量记录应与实际相符，数据应准确；

3 文件外观应整洁，格式、文字应规范、清晰。

6.1.9 工程终验应包括下列内容：

1 确认各阶段测试检查结果；

2 必要的项目复验；

3 设备的清点核实；

4 对工程进行评定和签收。

6.1.10 对验收中发现的质量不合格项目应查明原因，提出处理意见。

6.2 测 试 验 收

6.2.1 设备安装应符合本规范第 5.2.1 条～第 5.2.5 条的规定。

检验数量：全部检查。

检验方法：观察、尺量检查。

6.2.2 线缆布设应符合本规范第 5.3.1 条～第 5.3.8 条的规定，光电缆线路特性应符合现行国家标准《城市轨道交通通信工程质量验收规范》GB 50382 的规定。

检验数量：全部检查。

检验方法:观察、尺量检查。

6.2.3 接入点单机测试结果应符合设计要求,测试应包含下列项目:

    1 单接入点用户并发接入量测试;

    2 用户接入带宽测试。

检验数量:全部检查。

检验方法:使用测试软件、网络测试仪进行测试。

6.2.4 车站系统、轨旁系统、列车系统测试结果应符合设计要求,测试应包含下列项目:

    1 信号覆盖测试;

    2 覆盖区域内漫游测试;

    3 无线接入时延和丢包率测试。

检验数量:全部检查。

检验方法:使用场强仪、测试软件进行移动测试。

6.2.5 车地无线桥接通信测试结果应符合设计要求,应在列车最高运行速度下测试下列项目:

    1 车地无线传输带宽;

    2 目标覆盖区域内无线网络切换时延和切换成功率;

    3 目标覆盖区域内无线网络时延和丢包率。

检验数量:全部检查。

检验方法:使用测试软件、网络测试仪进行移动测试。

6.2.6 数据汇聚系统测试结果应符合设计要求,测试应包含下列项目:

    1 接入交换机、接入主干网络带宽;

    2 线路汇聚网络时延、丢包率。

检验数量:全部检查。

检验方法:使用网络测试仪进行测试。

6.2.7 无线局域网整体功能测试结果应符合设计要求,测试应包含下列内容:

1 用户登录、认证；

2 用户管理；

3 互联网审计；

4 服务质量管理；

5 网络安全管理；

6 网络设备管理。

检验数量：全部检查。

检验方法：功能验证测试。

6.2.8 无线局域网性能测试结果应符合设计要求，测试应包含下列内容：

1 网络吞吐量；

2 公众电信网接入时延、丢包率和带宽。

检验数量：全部检查。

检验方法：使用网络测试仪进行测试。

6.2.9 无线局域网应对基于通信的列车控制系统、乘客信息系统等城市轨道交通运营系统进行干扰测试及评估，无线局域网开启后不应影响基于通信的列车控制系统、乘客信息系统等城市轨道交通运营系统。

检验数量：全部检查。

检验方法：使用网络测试仪、场强仪和测试软件进行移动测试。

7 运 行 维 护

7.0.1 运行维护时,应建立完整、可行的维护管理制度,明确运行维护组织,制订维护管理规章,配备专业仪器和专业人员。

7.0.2 应根据运行维护的要求对设备进行日常维护和定期检查,定期检查频率不宜少于每月一次,各类检查结果应及时记录。

7.0.3 运行维护应建立技术资料档案。档案应按规定的格式和要求填写并妥善保管,内容应真实完整。

7.0.4 城市轨道交通无线局域网的日常维护工作应包含通过网管系统检查网络的告警状态,并按要求处理影响网络服务的告警。

7.0.5 城市轨道交通无线局域网的定期检查应包括下列内容:

   1 机房环境以及设备运行情况;

   2 车站内、轨旁和列车上的系统设备的外观、工作环境和运行状态;

   3 无线覆盖指标。

本规范用词说明

1 为便于在执行本规范条文时区别对待,对要求严格程度不同的用词说明如下:

1)表示很严格,非这样做不可的:

正面词采用"必须",反面词采用"严禁";

2)表示严格,在正常情况下均应这样做的:

正面词采用"应",反面词采用"不应"或"不得";

3)表示允许稍有选择,在条件许可时首先应这样做的:

正面词采用"宜",反面词采用"不宜";

4)表示有选择,在一定条件下可以这样做的,采用"可"。

2 条文中指明应按其他有关标准执行的写法为:"应符合……的规定"或"应按……执行"。

引用标准名录

《电子信息系统机房设计规范》GB 50174

《建筑物电子信息系统防雷技术规范》GB 50343

《城市轨道交通通信工程质量验收规范》GB 50382

《通信局(站)防雷与接地工程设计规范》GB 50689

《铁路应用　机车车辆电气设备　第1部分:一般使用条件和通用规则》GB/T 21413.1

《轨道交通　机车车辆设备　冲击和振动试验》GB/T 21563

《信息安全技术　信息系统安全等级保护基本要求》GB/T 22239

《信息安全技术　信息系统安全等级保护定级指南》GB/T 22240

《轨道交通　电磁兼容　第3-2部分:机车车辆　设备》GB/T 24338.4

《轨道交通　电磁兼容　第4部分:信号和通信设备的发射与抗扰度》GB/T 24338.5

《城市轨道交通车辆防火要求》CJ/T 416

中华人民共和国国家标准

城市轨道交通无线局域网宽带
工程技术规范

GB/T 51211 - 2016

条 文 说 明

编 制 说 明

《城市轨道交通无线局域网宽带工程技术规范》GB/T 51211—2016,经住房城乡建设部 2016 年 12 月 2 日以第 1381 号公告批准发布。

本规范编制过程中,编制组针对适用于城市轨道交通的无线局域网技术和方案开展了调查,总结了我国城市轨道交通无线局域网宽带工程建设的实践经验,同时参考了国外相关的技术标准,编制了本规范。

为便于广大设计、施工、科研、学校等单位有关人员在使用本规范时能正确理解和执行条文规定,《城市轨道交通无线局域网宽带工程技术规范》编制组按章、节、条顺序编制了本规范的条文说明,对条文规定的目的、依据以及执行中需注意的有关事项进行了说明。但是,本条文说明不具备与规范正文同等的效力,仅供使用者作为理解和把握规范规定的参考。

· 23 ·

目　　次

1　总　　则 ……………………………………………………（27）

3　基本规定 ……………………………………………………（28）

4　工程设计 ……………………………………………………（30）

　　4.1　一般规定 ………………………………………………（30）

　　4.2　车站系统 ………………………………………………（33）

　　4.3　轨旁系统 ………………………………………………（33）

　　4.5　数据汇聚系统 …………………………………………（34）

　　4.6　核心系统 ………………………………………………（34）

　　4.8　系统接口 ………………………………………………（35）

5　工程施工 ……………………………………………………（37）

　　5.2　设备安装 ………………………………………………（37）

　　5.3　线缆布设 ………………………………………………（37）

6　工程测试与验收 ……………………………………………（38）

　　6.1　一般规定 ………………………………………………（38）

・ 25 ・

1 总 则

1.0.1 为推进信息技术的应用,我国提出并推行"宽带中国"战略。其中明确提出要实施移动互联网行业应用专项,保障机场、高速公路、地铁等公共服务区域宽带设施建设与通行。因此,各城市积极建设城市轨道交通无线局域网宽带工程或引入第四代移动通信网络,为公众提供无线宽带网络服务。考虑到第四代移动通信网络已有相关的通信行业标准,而城市轨道交通无线局域网还没有相关标准。为规范城市轨道交通无线局域网的工程建设,制定本规范。

3 基 本 规 定

3.0.1 鉴于城市轨道交通服务对象的大部分时间是在列车内,无线宽带工程应覆盖列车。

3.0.3 目前国内开通的基于通信的列车控制系统车地无线通信大部分采用无线局域网(WLAN)技术,使用 2.4GHz 公开频段;部分城市乘客信息系统车地通信采用无线局域网技术。鉴于基于通信的列车控制系统车地无线通信是列车运行相关系统、乘客信息系统是运营辅助系统,重要性较高,而城市轨道交通无线局域网与基于通信的列车控制系统、乘客信息系统采用了相同的技术,可选用的工作频段相同。因此无线局域网的频点和信号覆盖不应影响基于通信的列车控制系统、乘客信息系统等城市轨道交通运营相关系统的正常运行。

2015 年 2 月,工业和信息化部发布了《关于重新发布 1785—1805MHz 频段无线接入系统频率使用事宜的通知》(工信部无〔2015〕65 号),通知指出,城市轨道交通无线通信系统可以使用 1785MHz~1805MHz 频段。目前,各城市均在进行相关系统无线通信对应频段的方案研究,开展频率申请工作。因此后续建设的基于通信的列车控制等运营相关系统将使用专用频段的无线通信技术,抗干扰能力进一步增强,其正常运行应该不会被城市轨道交通无线局域网影响。

3.0.4 根据原信息产业部《关于调整 2.4GHz 频段发射功率限值》(信部无〔2002〕353 号)、《关于使用 5.8GHz 频段频率事宜的通知》(信部无〔2002〕277 号)和工业和信息化部《关于发布 5150—5350 兆赫兹频段无线接入系统频率使用相关事宜的通知》(工信部无函〔2012〕620 号),目前中国可供无线局域网使用的 2.4GHz 频段

· 28 ·

范围是 2400MHz～2483.5MHz；5GHz 频段范围是 5150MHz～5350MHz,5725MHz～5850MHz。

　　鉴于上述两频段是由多系统共同使用,频段内存在多个信道,为避免同频干扰,城市轨道交通无线局域网的信道配置应根据工作频段使用情况测试结果确定。即在网络建设之前,需测试目标覆盖区域内 2.4GHz 和 5GHz 频段系统的信道使用情况,优先选择与已用信道之间无干扰(即信道无重叠)的信道。如果不存在无重叠的信道,则系统间应进行频率和信道的协调,选择干扰最小(即信道重叠范围最小)的信道。如果已使用此频段的系统仅包括基于通信的列车控制系统、乘客信息系统等城市轨道交通运营系统,可结合本规范第 4.1.2 条的要求确定具体的信道配置。

3.0.5　国内许多城市提出建设智慧城市,正在或准备开展"智慧城市""数字城市"等信息化规划,其中一部分对于公共场所的无线宽带提出了覆盖和接口的要求。另外,住房城乡建设部、工业和信息化部联合印发《关于加强城市通信基础设施规划的通知》,其中要求在轨道交通、客运场站、风景区和交通枢纽等公共设施规划建设时,要同步规划和建设各类通信基础设施。因此城市轨道交通无线局域网宽带工程应与城市信息化规划、城市通信基础设施规划相协调,协调内容主要包括接口、统筹通信管网安装空间和条件等。

4 工 程 设 计

4.1 一 般 规 定

4.1.1 集中式组网指网络采用接入点实现无线接入,由接入控制器集中实现对接入点进行集中配置、管理和控制。从网络化角度,集中式组网可以为服务对象提供统一、标准的服务。另外,集中式组网还可以对用户和设备进行集中管理,有利于网络管理维护,能够提高网络资源利用率,符合国家节能减排要求,相对于分布式组网建设成本更低。

4.1.2 城市轨道交通无线局域网有下述两种组成划分方式:

第一种是按照通信网络层面划分,可分为无线接入网、数据汇聚系统和支撑系统。无线接入网实现用户终端接入,支撑系统实现管理、审计、认证、授权、互联网出口等功能,数据汇聚系统实现无线接入网至支撑系统的数据通信。

第二种是从地理位置和功能模块划分,城市轨道交通无线局域网宽带工程由五个独立部分组成,分别为核心系统、数据汇聚系统、车站系统、轨旁系统和列车系统。

考虑到第一种划分方式中较难界定车地通信部分的归属,为更好地在工程建设中划分界面、利于实施,更清晰地界定各个系统的功能和设备要求,本规范根据城市轨道交通特色,采用第二种方式进行网络划分。网络组成示意如图1所示。

4.1.4 本条是对城市轨道交通无线局域网的频段配置和信号覆盖的规定:

1 本款规定是为了使车地通信避开基于通信的列车控制系统、乘客信息系统的无线通信信道,并兼顾到车地通信需要有较宽信道使用。

· 30 ·

2 移动终端目前多支持2.4GHz,新的移动终端支持2.4GHz和5GHz双频。为了支持更多用户接入,规定了车站、列车双频覆盖。

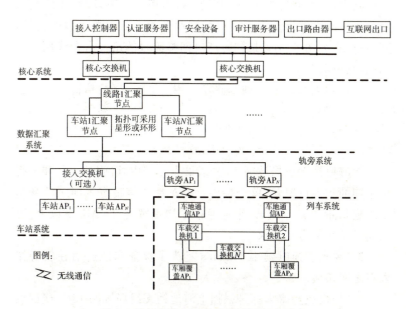

图1 城市轨道交通无线局域网组成示意

4.1.5 城市轨道交通无线局域网服务质量指标确定的依据如下:

1 根据无线局域网设备接收场强与速率的关系,场强大于—75dBm才能保证终端高速率传输;单用户0.5Mbps带宽可保证用户基本标清视频播放和良好的用户体验。

2 以64Byte数据包对出口路由器进行ping命令测试时,若平均时延大于100ms,则通信链路上不稳定,无法保证良好的用户体验,若丢包率大于3‰,则容易引起实时业务中断。

4.1.6 城市轨道交通无线局域网车地通信指标确定的理由如下:

1 车地通信主要负责把列车上用户数据无线桥接传输至车站系统,其性能需满足列车上用户使用的要求。

对于车地通信带宽要求的估算如下式：

$$\frac{列车并发}{用户数}=\frac{每车厢}{定员用户}\times编组\times\frac{无线局域网}{业务渗透率}\times并发率$$

其中，每车厢定员用户 310 个，编组按照 6 节计算；无线局域网业务渗透率是指使用无线局域网业务的人数占总人数的比例，其值取 50%；并发率是指同时产生网络流量的用户占在线用户的比例，其值取 30%。

$$\frac{单列车车地}{通信带宽}=\frac{列车并发}{用户数}\times\frac{用户平均}{传输速率}\bigg/\frac{网络传输}{效率}$$
$$=279\times0.5\mathrm{Mbps}/0.7$$
$$=200(\mathrm{Mbps})$$

上海地铁无线局域网 13 号线试点工程中，区间的上行和下行由不同的接入点覆盖，单个接入点的车地通信带宽等同于单列车车地通信带宽。经测试，车地通信平均带宽为 300Mbps 以上，可以满足条文中指标要求。

2 要求切换时延小于 50ms 是为了保证车地通信在轨旁接入点之间切换的顺畅。

3 切换成功率指标是根据上海地铁无线局域网 13 号线试点工程测试结果确定的。

4 车地通信丢包率需要小于终端业务丢包率的 3%；因为列车高速运行，列车上的车地通信接入点在轨旁接入点间频繁切换，较难实现过小的丢包率。根据上海地铁无线局域网 13 号线试点工程测试结果，提出丢包率不大于 2% 的要求。

4.1.7 为保证城市轨道交通无线局域网能够承载大数据量用户访问，本条要求城市轨道交通无线局域网具备对用户、业务、应用进行优先设置的服务质量功能，从而实现防网络阻塞和重要数据优先传输的功能。具体的服务质量策略可以根据网络建设时的技术水平、经济条件、网络规模等因素择优选择。

4.1.11 城市轨道交通无线局域网在应急状态下可能要求网络快

· 32 ·

速中断服务,即快捷断网。根据不同城市轨道交通相关应急要求,快捷断网可包括快捷中断互联网服务和快捷停止全部无线通信的要求。快捷中断互联网服务可通过拔线缆、电源或通过网管操作实现,快捷停止全部无线通信需要通过网管操作实现。因此,城市轨道交通无线局域网的设计人员应根据对应的应急要求细化、明确快捷断网的具体操作方式。

4.2 车 站 系 统

4.2.2 放装型接入点设备安装难度低,覆盖范围易控制,主要适用于建筑结构较简单、面积相对较小、用户相对集中的场合。分布型接入点设备适用于面积较大、用户分布较分散的场合。鉴于城市轨道交通的高密度接入场景,考虑到当前频率资源较有限,为更有效地控制干扰,本条规定车站覆盖接入点优先选用放装型。

4.2.5 以太网供电功能是指通过网线直接对设备进行供电的能力。

4.3 轨 旁 系 统

4.3.1 轨旁接入点设备支持双模式工作的目的是为了在与列车上的车地通信接入点进行无线桥接通信的同时,也可为终端设备直接提供无线接入服务。从而当列车停运,区间处于施工、检修期间时,轨旁接入点可以用于运营管理终端的无线接入和数据传输。

4.3.2 采用多入多出技术的目的是为了提高车地通信的带宽,且采用较新的无线局域网标准的设备支持多入多出技术。

4.3.3 无线信号的链路预算是指采用无线电传输模型进行计算,如自由空间模型。当线路部分区域坡度、曲率较大时,应根据链路预算的结果增设接入点。考虑到不同建设工程的建设环境、设备选型不同,且随着技术的快速发展,设备通信性能可能提高,接收灵敏度可能降低。接入点间隔距离具体值的确定需要在实际建设时综合考虑无线信号的链路预算和线路坡度、曲率以及当时的设

33

备性能水平确定。

轨旁接入点信号重叠覆盖主要是为了保证车地通信切换的性能。在保证切换顺利实现的前提下,信号重叠覆盖还能够提高系统信号覆盖的冗余度。

4.5　数据汇聚系统

4.5.2　30%的容量预留是根据城市轨道交通通信传输系统工程建设经验确定的。

4.5.3　星形网络结构对光纤资源需求量较大,但网络路由简单,传输时延较小,适用于里程短、网络节点少的线路;环形网络结构对光纤资源需求量较小,网络自愈性较强,适用于里程较长、网络节点较多的线路。

4.6　核 心 系 统

4.6.3　本条是对城市轨道交通无线局域网网络认证的要求,旨在提高用户认证体验。

2　无感知认证是一种由终端自动识别的接入认证方式,为用户提供方便快捷的无线局域网接入服务。在首次终端配置后,无须用户参与即可自动完成接入认证服务。无感知认证可由多种主流技术实现,如电气和电子工程师协会802.11x、可扩展的身份认证协议等。

3　认证时延过长或者认证成功率过低会影响用户的网络服务体验,目前较多技术可以将认证时延控制在1s以内,将认证成功率控制在95%以上。

4.6.4　互联网审计功能主要针对系统用户访问互联网的行为,全面详实地记录网络内流经监听出口的各种网络行为。根据中华人民共和国公安部第82号令《互联网安全保护技术措施规定》的要求,为了方便进行事后的审计和分析,记录应保存至少60d。

4.6.5　1+1热备份指的是对每一台核心交换机均按一主一热备

配置，$N+1$ 热备份指的是对 N 台核心交换机配置一台热备用交换机。$1+1$ 热备份的冗余度更高，但成本也更高，因此一般根据核心交换机的可靠性要求，在设计阶段确定具体的备份方式。

4.6.7 本条对网管系统的设计进行了规定。

　　2 网络故障管理是指对网络节点工作状态的监控、故障的追踪与检查；网络性能管理通过对网络性能进行监测和分析，保证网络具有较高的服务质量和运营效率；网络资源管理是指将网络资源对不同分类的用户进行有效的配置；网络拓扑管理是指对不同分类的用户提供不同定义方式的网络节点连接结构；安全管理是指对网络资源及重要信息访问的约束和控制；配置管理是指通过网管系统对网络设备、资源进行配置，可以实现限制用户上网时间等功能。

　　3 简单网络管理协议是一种在 IP 网络中管理网络节点的标准协议。该协议能够支持网络管理系统接收网络节点的通知消息以及告警事件报告等，从而获知网络出现的问题。

4.8　系　统　接　口

4.8.2 获取时间同步信息主要供网管系统和网络统计使用，从而有利于系统故障确定和维护管理。

4.8.3 现行的国家无线局域网媒体访问控制和物理层的规范主要有：《信息技术　系统间远程通信和信息交换　局域网和城域网　特定要求　第 11 部分：无线局域网媒体访问控制和物理层规范：5.8GHz 频段高速物理层扩展规范》GB 15629.1101、《信息技术　系统间远程通信和信息交换　局域网和城域网　特定要求　第 11 部分：无线局域网媒体访问控制和物理层规范：2.4GHz 频段较高速物理层扩展规范》GB 15629.1102 和《信息技术　系统间远程通信和信息交换　局域网和城域网　特定要求　第 11 部分：无线局域网媒体访问控制和物理层规范：2.4GHz 频段更高数据速率扩展规范》GB 15629.1104。这三项规范分别对应了电气和

· 35 ·

电子工程师协会(IEEE)802.11a/b/g 的规范。除此之外,电气和电子工程师协会 802.11 无线局域网标准工作组还于 2009 年 9 月、2013 年 12 月分别发布了 802.11n 和 802.11ac 规范。802.11n 规范引入多项新技术,可同时工作在 2.4GHz 和 5GHz 频段,实现高带宽、高质量的无线局域网服务;802.11ac 规范工作在 5GHz 频段,信道带宽可达 160MHz,可提供最高达 6.933Gbps 的无线局域网通信理论速率。

5 工 程 施 工

5.2 设 备 安 装

5.2.4 本条规定了列车系统设备的安装要求。

3 车地通信接入点天线外露安装是指天线安装在车顶外部，适用于新增购列车、列车驾驶室上方空间安装不足或者是驾驶室顶部为金属材质的列车。司机室顶板内安装是指在车头、车尾的车厢司机室顶板内安装车地通信接入点天线，适用于不能开孔并且空间、材质满足要求的既有列车。

5.3 线 缆 布 设

5.3.8 本条规定了列车系统线缆布设的要求。

2 六类屏蔽网线是一种传输频率可达 250MHz 或者更高的网线，比其他网线传输距离长、传输损耗小。

6 工程测试与验收

6.1 一般规定

6.1.4 本条规定了初验的内容。

　　8 系统的干扰测试及评估是指本系统对轨道交通其他采用同频段的相关无线通信系统的干扰测试及评估，如基于通信的列车控制系统、乘客信息系统等。

6.1.7 本条规定了竣工技术文件的内容。

　　13 其他记录是指除本条所列内容外，根据各城市不同的归档要求和建设情况，竣工文件还可以包括工程整改报告、工程软件版本管理记录、会议纪要等资料。